John P.

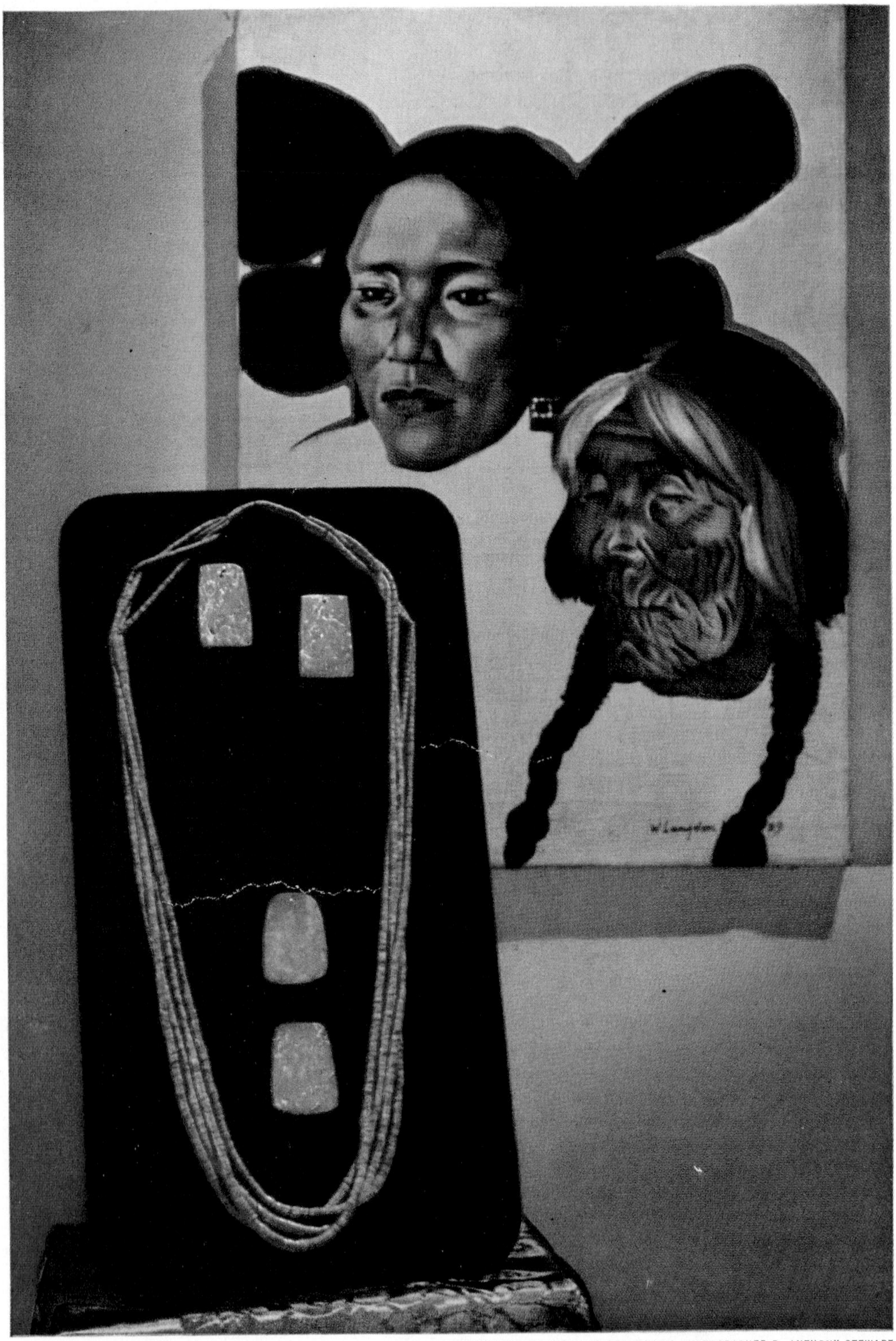

EKTACHROME BY NATIONAL GEOGRAPHIC PHOTOGRAPHER B. ANTHONY STEWART